A PEQUENA SEREIA

CLÁSSICOS ILUSTRADOS

✳ MAURICIO DE SOUSA ✳

MAURICIO DE SOUSA EDITORA

GIRASSOL

MUITO LONGE DA TERRA, NO MAIS PROFUNDO OCEANO, VIVIA O POVO DO MAR. O REI DO MAR ERA VIÚVO E MORAVA COM SUAS SEIS FILHAS NUM LINDO CASTELO.

AS FILHAS DO REI ERAM LINDAS SEREIAZINHAS
E ADORAVAM OUVIR AS HISTÓRIAS QUE A
AVÓ CONTAVA SOBRE O MUNDO LÁ DE CIMA,
HABITADO PELOS HOMENS, ONDE AS FLORES
ERAM PERFUMADAS.

QUANDO COMPLETAVAM QUINZE ANOS, AS SEREIAS PODIAM VISITAR A SUPERFÍCIE. A PEQUENA SEREIA AGUARDAVA ANSIOSA ESSE DIA E, ENQUANTO ELE NÃO CHEGAVA, OUVIA ATENTAMENTE OS RELATOS DE SUAS IRMÃS.

AO COMPLETAR 15 ANOS, FINALMENTE SUBIU
À SUPERFÍCIE. LÁ, AVISTOU UM GRANDE NAVIO,
SE APROXIMOU DA EMBARCAÇÃO E VIU OS
PASSAGEIROS RICAMENTE TRAJADOS.

QUANDO UM JOVEM PRÍNCIPE APARECEU,
FOGOS DE ARTIFÍCIO FORAM DISPARADOS.
A PRINCESA SE ASSUSTOU, MAS DEPOIS
VOLTOU À TONA. ELA FICOU ENCANTADA
COM A BELEZA DO PRÍNCIPE.

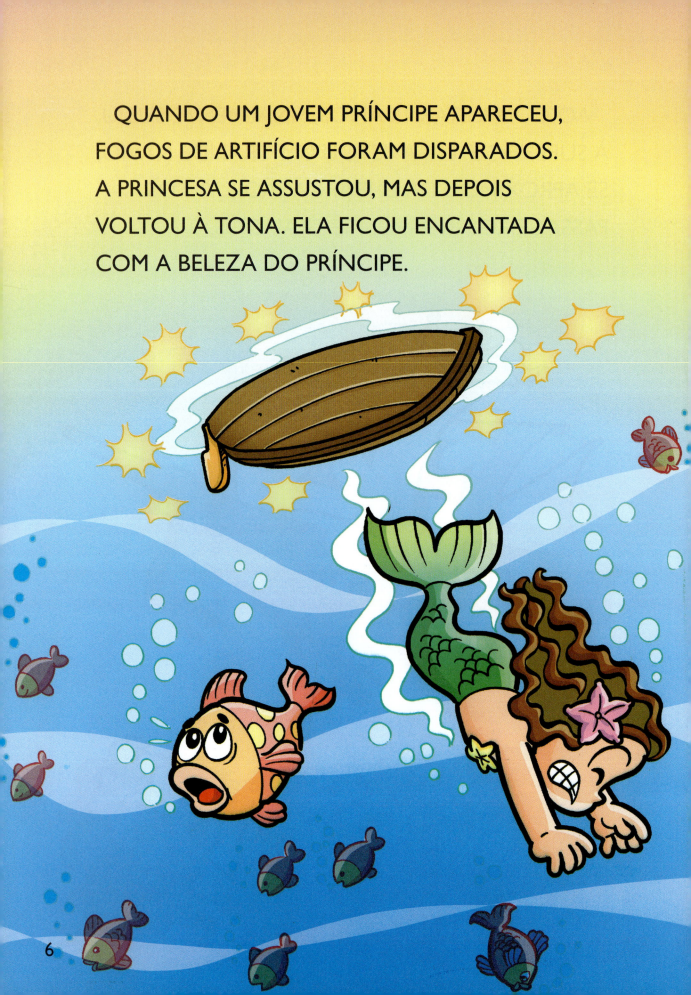

DE REPENTE, DESABOU UMA TERRÍVEL
TEMPESTADE E O NAVIO COMEÇOU A TOMBAR.
A SEREIA VIU O PRÍNCIPE CAIR NO MAR,
MERGULHOU EM SUA DIREÇÃO E O SALVOU.

A PEQUENA SEREIA DEIXOU O PRÍNCIPE NA
PRAIA E NADOU ATÉ ALGUNS ROCHEDOS.
QUANDO ELE ACORDOU, VIU MUITAS
GAROTAS, MAS NENHUMA SE PARECIA COM
A BELA JOVEM QUE O HAVIA AJUDADO E DE
QUEM SÓ SE LEMBRAVA VAGAMENTE.

A PEQUENA SEREIA VOLTOU PARA O MAR E CONTOU TUDO ÀS SUAS IRMÃS. UMA DELAS DISSE QUE SABIA EM QUE PALÁCIO O PRÍNCIPE MORAVA. ASSIM, A JOVEM PASSOU A IR TODOS OS DIAS ATÉ LÁ, SÓ PARA VÊ-LO.

A AVÓ DA PRINCESA CONTOU QUE OS HUMANOS MORREM, MAS POSSUEM UMA ALMA ETERNA. DIFERENTEMENTE DAS SEREIAS, QUE VIVEM TREZENTOS ANOS E DEPOIS VIRAM ESPUMA.

A PEQUENA SEREIA ADORARIA TER UMA
ALMA IMORTAL COMO A DOS HUMANOS. MAS
COMO ISSO SERIA POSSÍVEL?

A PRINCESINHA OLHAVA TRISTE PARA
A SUA CAUDA E RESOLVEU PROCURAR
A BRUXA DO MAR, POIS DESEJAVA TER UM PAR
DE PERNAS. ENTÃO, A BRUXA PREPAROU
UMA POÇÃO PARA ELA.

COMO PAGAMENTO PELA POÇÃO, A BRUXA QUERIA A LINDA VOZ DA PRINCESA E, SE POR ACASO O PRÍNCIPE SE APAIXONASSE POR OUTRA, A PEQUENA SEREIA SE TRANSFORMARIA EM ESPUMA NA HORA.

DEPOIS DE TOMAR O PRIMEIRO GOLE DA POÇÃO, A PRINCESA DESMAIOU. QUANDO ACORDOU, ESTAVA NOS BRAÇOS DO PRÍNCIPE. SUA BELEZA HAVIA ENCANTADO O RAPAZ.

A FAMÍLIA DO PRÍNCIPE QUERIA QUE ELE
SE CASASSE COM A FILHA DE UM REI
MUITO RICO. SERIA O FIM DA SEREIAZINHA?
TODO O SEU SACRIFÍCIO HAVIA SIDO EM VÃO?

NA MANHÃ SEGUINTE, AO ACORDAR,
O PRÍNCIPE NOTOU QUE A PEQUENA SEREIA
O OBSERVAVA. ENTÃO, PERCEBEU QUE ERA
ELA A MULHER DOS SEUS SONHOS. OS DOIS
SE CASARAM E FORAM FELIZES PARA SEMPRE,
DEPOIS QUE A JOVEM DEMONSTROU SEU
AMOR SEM DIZER UMA ÚNICA PALAVRA.